KB103738

최상만 제4시집

어두워야만 보이는 것이 있다

어두워야만 보이는 것이 있다

발 행 | 2023년 07월 31일
저 자 | 최상만
펴낸이 | 한건희
펴낸곳 | 주식회사 부크크
출판사등록 | 2014.07.15.(제2014-16호)
주 소 | 서울특별시 금천구 가산디지털1로 119 SK트윈타워 A동 305호
전 화 | 1670-8316
이메일 | info@bookk.co.kr

ISBN | 979-11-410-3790-1

www.bookk.co.kr

어두워야만 보이는 것이 있다

최 상 만

목 차

우리는 담쟁이덩굴처럼
바람벽에 매달려 봄이 오기를 기다렸다

엄마의 손은 동백꽃보다 더 붉었다

세상 변두리에 살더라도

여보게, 차나 한잔하고 가시게.

작가의 말

어느 날 친구가 산 방을 찾아왔다. 그리고는 이렇게 말했다.

"자네 시는 너무 정직하네."

"아픔과 고통이 철철 넘치는 시를 써 보게."

시인의 가슴에 큰 돌 하나 툭 떨어졌다. 이 말은 나의 시가 '지금까지 그리움, 사랑, 자연, 교감, 소소한 일상에 머물렀다면 이제부터는 세상의 아픔을 돌아보며, 개인의 정서에서 더 큰 감성으로 나가'[1]라는 의미라고 생각한다. 시가 개인적 정서에서 사회적 정서로 나아가는 것은 문학이 지향해야 할 중요한 방향성이리라.

하지만 나는 아직도 개인적인 경험을 시적 형상화하는 것에도 부족하다고 생각하는 사람이다. 더군다나 민족적인 감성의 형상화나 사회적인 아픔의 형상화는 감히 엄두도 못 내고 있다. 아니, 시인의 그릇이 그 정도밖에 안 되는 것이다.

더 아파야 아픈 시를 쓸 수 있을지 모르겠지만, 내가 생각하는 시는 독자의 가슴 속에 작은 파동 하나쯤 남기면 된다고 생각한다.

---

1) 당신인 줄 알았습니다(방촌문학사. 2021) 발문 인용

"바람이 분다. 살아봐야겠다."[2)]

요즘 이 시구가 절실하게 가슴을 울리는 이유가 무엇일까. 그리고, 다산 정약용이 "시는 나라를 걱정해야 한다. 간절하고 진실한 마음의 발로로서 사람을 사랑하고 나라를 근심하는 마음이 아니면 그런 시는 시가 아니"[3)]라는 말이 가슴에 비수처럼 와 박힌다. 요즈음 일련의 사회적 현상 때문일 것이다.

나는 정약용의 시에 대한 사유와 같은 마음으로, 그런 태도로 시를 쓰고 있는가 자문해 본다. 얼마큼 더 깊어져야 바람이 전하는 말 들을 수 있을까, 갈대 흔들리는 이유를 알 수 있을까.

혹한의 겨울에 나무는 나이테를 만든다. 지금이 우리에게 혹한의 시절이 아닌가. 이 혹한의 시기를 보내면 우리의 가슴속에도 나이테 하나씩 새길 수 있으면 좋겠다.

내게서 떠나가는 시여! 안녕!

2023. 8. 1.

청운에서 송풍

---

2) 폴 발레리의 '해변의 묘지'에서
3) 정약용이 18년 유배 중 아들에게 보낸 서한 중에 나오는 내용

우리는 왜
사랑을 증명하려고 하는지.
사랑을 계산하려고 하는지.
사랑은 증명하는 것이 아닙니다.

사랑에는 이유가 없습니다.

- '사랑은' 중에서

봄은 저 혼자 오지 않는다

마중물

오랜 기다림으로 먼지 쌓이면 어떠리
기다리는 마음 변치 않는다면야
어둔 밤 홀로 지샌들 어떠리
옥정수 같은 너를 만날 수 있다면야,
목마른 사람에게
물 한 모금 내어줄 수 있다면야
별똥별 헤아리다 잠이 들면 어떠리.
꽃가지 적시도록 맑은
너를 만날 수 있다면야
내 전부인 한 바가지를 다 준들 어떠리.

유홍초

비 내리는 수요일 아침
비에 젖은 유홍초꽃이 슬프다.
지난밤 별들이
어두운 하늘 헤매다 지상에 내려앉았나 보다.
비에 젖어서도 살포시 웃는다. 슬프도록

비에 젖어 부끄럽게 고개 드는 유홍초,
비에 젖는다는 것이
이리도 슬픈 일인 줄을
젖어서도 이리 아름다울 수 있음을
유홍초꽃 비에 젖고 나서야 알았다.

유홍초꽃, 비에 젖는 날은 나도 촉촉하게 젖고
싶다.
빗물 같은 그대에게

가을 아침

단풍 드는 일이
가을 탓인 줄 알았는데
왜 내 얼굴이 붉어지는지
낙엽 지는 일이
나무의 일인 줄 알았는데
왜 내 가슴이 떨리는지
낙엽 뒹구는 일이
바람 때문인 줄 알았는데
왜 발걸음 멈추는지
마음 빼앗겨, 어지러운 걸 보면
너만의 일은 아니었나 보다.

헌 구두처럼

발자국 소리도 나를 닮아 가는 걸까.
발자국 소리만 듣고도 나인 줄 아는 것을 보면,
신발도 나의 걸음걸이에 맞춰 가는 것일까.
내 신발들은 모두 같은 곳이 닳아간다.
헌 구두처럼 나의 발끝에 스며들어
내 발 모양을 닮아 가듯 발자국 소리도
나만의 발자국 소리를 내는 것이리라.

발자국 소리만 듣고도 나는 당신인 줄 안다.
당신의 발자국 소리에는
당신의 모습이 하나 가득 담겨 있다.
당신의 발자국 소리를 들으며
나는 오늘도 헌 구두처럼
당신의 발끝에 스며들어 오롯이
당신의 발자국 소리로 울려 퍼지고 싶다.

헌 구둣발자국 소리처럼

당신은

키 작은 촛불 맨드라미 같은
빗물에 젖은 유홍초 꽃잎 같은
까만 밤에 핀 하얀 박꽃 같은
배추흰나비 유혹하는 배추꽃 향기 같은
흰 구름 움키려는 하늘타리 꽃잎 같은
새벽까지 반짝이는 등대 같은
푸른 바다에 부서지는 파도 같은
석양의 붉은 노을 같은
동백 숲에 동박새 울음 같은
솔잎에 부는 바람 소리 같은
가랑잎 나부끼는 소리 같은
아침 이슬 모아 떨어지는 낙숫물 같은
처음 싹 튼 찻잎 같은
낙엽 타는 냄새 같은 당신은
설렘

비내섬에서

속살거리며 흐르는 물은
당신에게 좀 더 가까이 간다는
흥겨움이겠지요.
갈대는 흐르지 못해
당신을 향해 손 흔들지요.
조약돌도 흐르지 못해
물속에서 반짝이지요.
억새밭에 머물던 철새들
아쉬워 또다시 찾아오지요.
남한강 물길이 만들어 논 섬
다녀가는 발자국마다 인연이 되는
섬, 비내섬.

강

꽃 피우지 않고
봄을 건널 수 있던가.
천둥을 만나지 않고
여름을 지날 수 있던가.
긴 장마를 지나온 사람의
하늘이 더 푸른 것이다.
눈 속에서도 꽃맹아리 자라듯
그렇게
우리는 시간의 강을
건너가는 중이다.
당신에게 가는 중이다.

사랑

온 세상이
너의 향기로 채워지는 순간을

너의 생각만으로도
온 세상이 밝아지는 느낌을

온 세상을 다 준대도
너랑은 바꿀 수 없는 마음을

너를 스치기만 해도
모세혈관까지 떨려오는 신호

봄은

봄은 저 혼자 오지 않는다.
온 세상 꽃 피워내며 함께 온다.
산에 들에 향기 풍기며
들꽃 손잡고 함께 온다.

봄은 저 혼자 오지 않는다.
온 세상 나비와 살랑거리며 온다.
산에 들에 아지랑이처럼
나비와 춤추며 함께 온다.

겨우내 얼었던 가슴 녹이며
꽃도 잎도 눈 마주치며
따뜻한 입김 나누며
온 세상 어깨동무하고 함께 온다.

미안해

너무 가까이 있어
못 봤어.
너무 가까이 있어
몰랐어.
미안해!
가깝다고 그러면 안 되는 거였어.

너무 멀리 있어
못 봤어.
너무 멀리 있어
몰랐어.
미안해!
너무 멀다고 그러면 안 되는 거였어.

미안해!

짝사랑

내 영혼의 절반쯤 맡긴다면
받아 줄래.

네 영혼의 전부를 받아 줄게
내게 올래.

사랑은

더하기 하듯,
곱하기하듯
사랑은 계산하는 것이 아닙니다.
교집합으로도,
합집합으로도
사랑은 증명할 수 없습니다.
지수와 로그로도,
미적분으로도
사랑을 풀 수 없다는 걸 다 알면서
우리는 왜
사랑을 증명하려고 하는지.
사랑을 계산하려고 하는지.
사랑은 증명하는 것이 아닙니다.

사랑에는 이유가 없습니다.

눈부시다는 것은
가슴속에서 빛나기 때문이다.
그것이 사랑이 눈부신 이유이다.
-눈부신 것이 태양뿐이랴 중에서

길가에 피어도 꽃이고
산속에 피어도 꽃이다

두물머리

두물머리에서 만났지.
서로 다른 강을 흘러 서로 다른 길을 걸어
두물머리에서 만났지. 우연이었지.
두물머리의 물결 위에
물새 몇 마리 갈대숲으로 헤엄쳐 가고.
두물머리는 새로운 만남의 공간이 되었지.
새로운 인연이 시작되었지. 우연이었지.
저녁 안개 내려앉을 무렵
두물머리를 서성이던 사람들,
누군가를 기다리고 있었지.
사람들 서성이던 자리마다
서로 다른 무게의 기다림이 두런거리고
낙조가 유난히 붉은 날
새들도 저마다의 기다림으로 물들고
갈대숲에서 새들은 둥지를 틀고 있었지.
두물머리에서는 어제와는 다른
언제나 새로운 흐름이 시작되었지.

서로 다른 인연이 시작되었지.
두물머리에서는 모든 순간이 새로운 시작이었
지.

거기에 나는 오랜 이별 하나 두고 왔지.

문경새재

길은 숲속으로 사라지듯 이어지고
굽이마다 남아 있는 사연들
님 그리워 넘던 새재는
시가 되고, 전설이 되고,
강은 굽이굽이 이야기를 품고 흐르고

문경새재를 넘다 보면 어느새
선인들 하나둘 길동무하며 따라오고
산 새는 쉬명놀명 따라오고
바람을 따라 걷다 보면
구름도 앞서거니 뒤서거니 지나가고

파발로 달려올 소식 기다리며
정화수에 두 손 모으던
어머니의 정성도 뒤따라오고
이마에 땀방울 씻어주던 솔바람도
살랑살랑 손 흔들며 함께 따라오고

우화 羽化

번데기 날개를 달고
날아오르는 것처럼
가끔은 사람도
허물을 벗고
날아오를 수 있다면
잘난 이도 못난 이도
한 번쯤
껍질을 벗고
날아오를 수 있다면

호랑나비처럼 날아볼 텐데

우리, 언젠가는

길가에 피는 민들레도 꽃이고
산속에 피는 구절초도 꽃이다.

밤에 피는 박꽃도 꽃이고
아침에 피는 달맞이꽃도 꽃이다.

우리 어디선가는
자신만의 향내 풍겨야 하지 않으리

우리 언젠가는
자신만의 색깔로 피어나야 하지 않으리

곰배령

곰배령의 푸른 하늘은 여름내 하얀 눈은 품고 있었다. 하늘에 머무는 눈발은 겨울이 올 때까지 푸른 하늘 속에서만 흩날리고 있었다. 구름 속에 흠뻑 머금고 있다가 겨울이 되면 한꺼번에 쏟아붓는다. 굴뚝이 넘치도록, 곰배령의 눈발은 언제나 낙엽 지는 때를 기다려 주었다. 곰배령을 뒤덮은 눈발도 봄이 되면 곰배령을 온통 푸르게 물들인다. 이것이 곰배령의 질서이다. 거스르지 않는다.

그런 어느 해 가을이었다. 낙엽 지는 때를 기다리지 못한 폭설이 갑작스럽게 내렸다. 준비되지 않은 곰배령의 나뭇잎은 파랗게 떨어졌다. 곰배령의 눈발은 낙엽 지는 때를 기다려 주지 않았다. 그해 곰배령은 단풍이 들지 못했다. 곰배령의 질서는 무너졌다. 아니다. 이것이 곰배령의 질서였는지 모른다. 눈발만 아무 일

없는 것처럼 온 세상을 하얗게 덮을 뿐이었다.

그때부터 곰배령의 눈발은 사람들 가슴속에 머물고 있었다.

눈부신 것이 태양뿐이랴

눈부신 것이 태양뿐이랴.
꽃잎 터뜨리는 그 순간도
아침햇살처럼 눈부시더라.

눈부신 것이 태양뿐이랴.
아가 태어나는 그 순간도
숨이 멎도록 눈부시더라.

눈부시다는 것은
가슴속에서 빛나기 때문이다.
그것이 사랑이 눈부신 이유이다.

후회

지나고 나서야, 보내고 나서야 알았다.
달 이슬 밟으면 들려오던
그대의 목소리가 걱정이었음을
지나고 나서야, 초가을 별처럼
가슴속에 남아 있다는 것을

지나고 나서야, 떠나고 나서야 알았다.
눈보라길 위에서 듣던
그대의 말 한마디가 위로였음을
지나고 나서야, 혹한의 눈꽃같이
마음속에 불씨로 남아 있다는 것을

벤치

어느 가슴엔들 눈물이 없으리.
어느 가슴엔들 희망이 없으리.
어느 가슴엔들 정이 없으리.
어느 가슴엔들 따뜻함이 없으리.
어느 가슴엔들 미움이 없으리.
어느 가슴엔들 서러움이 없으리.
어느 가슴엔들 두려움이 없으리.
어느 가슴엔들 애잔함이 없으리.
어느 가슴엔들 사랑이 없으리.

어느 가슴엔들 누군가 기댈 수 있는
자리 하나쯤 남겨 놓지 않았으리.
어느 가슴엔들 누군가 쉴 수 있는
자리 하나쯤 남겨 놓지 않았으리.
어느 가슴엔들 누군가 목 놓아 울 수 있는
자리 하나쯤 남겨 놓지 않았으리.
어느 가슴엔들 누군가 의지할 수 있는

자리 하나쯤 남겨 놓지 않았으리.

가슴속에는 빈 벤치처럼 기다림으로 남아 있는데

능소화꽃 지다

기다리고
기다리다가
붉은 꽃망울로
바닥에
누웠다오.

툭!

동백꽃 떨어져도

동백꽃 떨어져도 떨어져 시들어도
부끄러워하지 않는다.
한때 흐드러지게 향기 풍겼으니
온몸으로 겨울을 느꼈으니

동백꽃 떨어져도 떨어져 밟히더라도
후회하지 않는다. 시들어 떨어져도
꽃으로 누웠으니
겨울을 밀어 봄 속으로 보냈으니

동백꽃 떨어져도
떨어져 뒹굴어도 울컥하는
뜨거움이다.

우리는 담쟁이덩굴처럼 바람벽에 매달려 봄이 오기를 기다렸다

그리움

당신에게 다가갈 수 없을 때
시냇가에서 맑은 물소리를 들어 보라.
물소리는 어느새 그대의 목소리가 되어 졸졸 속삭인다.
누군가에게 소식 전할 수 없을 때
억새꽃 바람에 흔들리는 오솔길을 걸어 보라.
낙엽은 당신에게 배달된 엽서처럼 흩날린다.
누군가 보고 싶어도 만날 수 없을 때
갈참나무 잎새를 흔드는 바람 소리를 들어 보라.
바람 소리는 당신을 위한 연주처럼 가슴을 적신다.
누군가 그리워서 잠들지 못할 때
나뭇잎에 떨어지는 빗소리를 들어 보라.
빗소리는 어느새 그대의 귓속말 되어 재잘거린다.

낙화

우린 언제 한 번 벚꽃처럼
절절하게 피어본 적이 있었던가.
흐드러지게 피어
꽃잎으로 날려본 적 있었던가.
짧게 피면 어떠리.
우린 언제 한번 뜨겁게 피었다
뜨겁게 흩날린 적 있었던가.

일제히 소리치듯 피어나 한동안
온 세상 꽃으로 밝혔으니
꽃잎 사위어 가면서도
온 세상 꽃비로 덮었으니
짧게 피고 지면 어떠리
우린 언제 한번 벚꽃처럼
흐드러지게 사랑한 적이 있었던가.

그대는

그대는 무슨 시로
그대의 겨울을 쓰는가.

무슨 그림으로
그대의 겨울을 그리는가.

그대는 무슨 악기로
그대의 겨울을 연주하는가.

무슨 가슴으로
당신의 겨울을 녹이는가. 그대는

칠판

칠판, 저도 궁금했던 것일까.
친구들이 어제 몰래 한 일들이
청소 땡땡이친 친구랑
국어 숙제 안 낸 친구가

저도 궁금했던 것일까.
친구들의 몰래 한 착한 일들이
화장실 청소 도와준 친구랑
칠판 지우개 털어온 친구가

잊지 말라고 그랬을 것이다.
반장 선거일이랑
중간고사 시험 시간표랑
미리미리 준비하라고 그랬을 것이다.

선생님보다 더 무섭던 칠판
저도 궁금했을 것이다.

이름 적히지 않으려
쓸고 닦고 공부했을 친구들,
지금은 무얼 하고 있을까.

향수

내 어린 시절의 고향은
어디로 갔을까.
어디에 숨었을까.
가슴속으로 숨었나.
쥐불놀이하던 논두렁도
연날리기하던 언덕도
사라져 버린,
내 어린 시절의 고향은
어디로 갔을까.
어디에 숨었을까.
소꿉놀이하던 개울가도
자맥질하던 개여울도
낡은 사진 속에서 살아나는
유년의 그리움

진주

혹한의 겨울에 나무는 나이테를 만들지요.
손끝부터 얼어 오던 혹한의 청춘
귀도 발가락도 얼던, 청춘의 조각들
이불 속에서도 입김이 서리던 그때
나의 가슴속에도 나이테 하나 늘었을까.

고통의 순간에 진주조개는 진주를 만들지요.
모든 것을 내려놓고 싶은 순간,
그 앞에 섰을 때 절망의 낭떠러지에서
뛰어내리면 아무도 모르지요.
당신 가슴 속에서 자라고 있을 진주,
얼마나 크게 자라게 될지

꿈

고향 선배가 말했다. 꿈을
노래할 수 있는 나이였으면 얼마나 좋을까.

고향 선배에게 말해 주었다.
꿈은 나이를 먹지 않는다고

꿈은 멀어졌다고 말하는 후배에게
꿈에는 거리가 없다고 말해 주었다.

이생은 아닌 것 같다는 후배에게
저 생에서는 뭔가 될 것 같냐고 물어보았다.

그때는

추적추적 달라붙던 허기는
쉰밥, 찬물에 빨아 먹어도
배탈 나지 않았다. 그때는
소매에는 콧물 훔친 자국
거북등처럼 갈라진 손등에
남루를 걸쳐도 슬퍼하지 않았다.

배고픔도 반복되면 일상이 된다.
감자범벅으로도 웃을 수 있었다.
동네 어귀에서 무 서리를 하고
펌프에 매달려 맹물로 배를 채워도
시린 나일론 양말 구멍으로도
행복은 달아나지 않았다. 그때는

우리는 담쟁이덩굴처럼
바람벽에 매달려 봄이 오기를 기다렸다.

불면증 2

하얗게 지새는 밤이면
밤새 문풍지도 흐느껴 울었다.

불면의 밤이면
달그림자도 문밖을 서성거렸다.

세상 사는 일에
시름없는 사람이 있겠냐마는

잠들지 못하는 담장 위에
달빛이 하얗게 내려앉았다.

벽

뛰어넘을 장벽이 있다는 것은
아직
도전할 의지가 남이 있다는 것이다.

넘어지는 일이
혼자만의 일이랴.
아픔 없는 사람이 어디 있겠는가.

뒤돌아보면 추억 아닌 것이
어디 있으랴.
절망조차 추억이 되지 않던가.

포기하고픈 적 한두 번이었으랴마는
벽의 높이는
마음먹기에 따라 달라지지 않던가.

사랑해

사랑해!
영어로는 I love you.(아이 러브 유)
독일어로는 Ich liebe dich.(이히 리베 디히)
프랑스어로는 Je t'aime(제 테이므)
중국어로는 Wo ie ni(워 아이 니)
우리말로는 사랑해!
말은 달라도 바라보는 눈빛은 다르지 않아

이태리어로는 ti amo(티 아모)
일본어로는 あいしてる(아이 시데루)
라틴어로는 go te amo(에고 테 아모)
스위스어로는 Ch-ha di garn(차-하 디 간)
우리말로는 사랑해!

말은 달라도 뛰는 가슴은 다르지 않아

어떤 이는 사랑이라 하고
어떤 이는 정이라 하는데
우리는 어떤 부호로 이어진 걸까.
-접속 중에서

엄마의 손은 동백꽃보다 더 붉었다

이슬떨이

이슬 내린 숲속 길을
앞장서 걸어간 사람 있었지.
이른 새벽, 이슬을 털며
가장 먼저 앞서간 사람 있었지.
늘 내 앞에는
이슬을 먼저
털어준 사람 있었지.

이슬뿐이었으랴.
무릎까지 덮던 눈길을,
가시덩굴 뒤덮인 숲속 길을,
가장 먼저 걸어준 사람 있었지.
늘 내 앞에는
무수한 길을
먼저 앞서간 사람 있었지.

아마도

출근 준비를 하다가
문득 바라본 거울 속에
아버지가 앉아 계셨다.

눈은 조금 처지고
배도 좀 나온 아버지,
지긋이 미소를 짓고 있었다.

내가 고개를 끄덕이면
아버지도
가만히 고개를 끄덕이셨다.

아버지께서 내게 하고 싶었던 말은
내가 아들에게
해주고 싶었던 말은 아니었을까.

아마도

어머니의 눈물

어머니는
아궁이에서 타는 생솔가지 연기 때문이라고 했다.
그때는
어머니의 눈물이 매운 연기 때문인 줄 알았다.
어머니는 야물은 양파 때문이라고 했다.
어머니의 눈물이 매운 양파 때문인 줄 알았다.
그때는,
어머니의 눈물이 푸른 연기 때문이 아닌 줄 알면서도
하얀 양파 때문이 아닌 줄 알면서도
소리 없이 흘리던 어머니의 눈물이
가난한 살림 지탱해 온 사랑이었다는 것을
알기에는 너무나 어린 나이었다.
그때는

피죽바람

바람이 한 모라기 불었다.
송화우가 한 보지락 내리고
피죽바람[4]이 불었다.
할머니의 한숨 소리에
한 모라기 바람이 또 불었다.
피죽바람이 불면
흉년이 든다고 했다.
먼 산에 바람꽃[5]이 피었다.
바람꽃이 산을 넘어오면
온 세상은 잿빛이 되었다.
할머니의 한숨이 깊어졌다.

---

4) 모낼 무렵 오랫동안 부는 아침 동풍과 저녁 북서풍, 이 바람이 불면 흉년이 들어 피죽도 먹기 어렵다고 한다.
5) 큰바람이 일어나려고 할 때 먼 산에 구름같이 끼는 뽀얀 기운

접속

사람들은 서로 이어져 있다는데
당신과 나는
무엇으로 이어져 있는 걸까.

어떤 이는 사랑이라 하고
어떤 이는 정이라 하는데
우리는 어떤 부호로 이어진 걸까.

어떤 이는 애증이라 하고
어떤 이는 미련이라 하는데
우리는 어떤 신호로 접속한 걸까.

둥지

한여름 새끼를 키우고 떠난 새의 둥지
새끼들 자라 떠났어도
빈 둥지에는 빈자리만큼이나 어미 새의
사랑이 남아 있었다.

집을 떠난 딸의 방 빈자리에도
한 세월 애태웠을 모정이
비에 젖는 새의 둥지 마냥
애처롭게 젖고 있었다.

방문을 열면
수많은 딸의 모습이
통통거리며 뛰어오고 있었다.

빈 둥지

머물다 떠난 자리에
텅 빈 그리움이
그득하다.
언제
우리는 어미 새처럼
한 철이라도
절절한 적 있었던가.

엄마의 손

눈 녹은 물로 부뚜막에 봄을 덧칠해도
봄은 꼼지락거리며 담장을 넘어오지 않았다.

얼음 녹은 개울물로 겨우내 묵은 빨래를 하던
엄마의 손은 동백꽃보다 더 붉었다.

고달픈 삶의 무게로 부르튼 상흔은
엄마의 거친 손등에서 붉은 꽃망울이 되었다.

짚불로는 데워지지 않던 엄마의 붉은 손
괜스레 눈물이 났다. 짚불의 푸른 연기 때문에

눈 녹은 물로 부뚜막에 봄을 치대도
봄은 양철 지붕 처마 밑을 서성이고 있었다.

엄마의 전화벨 소리

전화벨 소리만
듣고도 안다. 아들이다!
엄마는 벨 소리만 듣고
아들의 전화벨 소리인 줄 안다.
어찌 알았을까.
아무리 들어도
같은 벨 소리이건마는
같은 벨 소리로도 아들인 줄
아는 것이 엄마인가 보다.

아들의 전화벨 소리인 줄
아무리 들어도 알 수가 없어
나 홀로 아들 면회를 간다.

아들 제대하던 날

벌써 제대했어? 벌써 제대야!
시간 참 빠르네.
몇 번이나 들었는지.
남의 시간은 참 빨리도 가는 모양이다.

그 사이에 누군가는 속 태우며
느리게 흐르는 시간 원망하며
손꼽아 기다리지 않았으랴.
정화수에 두 손 모으지 않았으랴.

살아가면서 기댈 수 있도록
어깨 하나 내어 줄 수 있다면
살아가면서 잡을 수 있도록
손 내밀어 줄 수 있다면
당신으로 하여
세상에 꽃이 피는 것이다.

-살아가면서 중에서

기댈 수 있는 언덕 하나 있다는 것은

조약돌

잔물결 지는 강가에 반짝이는 조약돌
언젠가는 조약돌 아니었던 적 있었으리.
큰 바위끼리 부딪치고 깨어지며
서로를 원망도 하고 아파한 적도
깊은 협곡에서 날카로운 파편으로
서로를 할퀴었던 적도
날 선 언어로 서로에게
지워지지 않은 상흔 남긴 적도 있었으리.
폭포에 떨어져 부딪치고 깨어지며
아찔한 적, 기절한 적도 있었으리.
울퉁불퉁 호박돌로 뒹군 적도,
자갈돌 보듬어 주며,
굵은 모래 고운 모래도 만나
서로 몸 부비며 위로도 해주었으리.
흐르는 물이 고운 손 잡아 주며
머리 쓰다듬어 준 적도 있었으리.
오랜 세월 물길 따라 하류에 이르렀을 때

서로 기대어 물소리로 흐느끼고 있었지.
조약돌, 잔 여울에 빛나고 있었지.

눈물

눈물이 많아졌다.
독하게 참아도
축축한 감성이 방울진다.

시간이 지나면 샘도 말라
그리하여
더 깊이 샘을 파야 한다더니

나이 들어갈수록
눈물이 많아진 것은
눈물샘이 더 깊어진 이유는 아닐까.

낙엽

지나온 청춘이
몇 페이지의 추억으로 흔들렸다.
메마른 나뭇가지에 매달려
아직 떨어지지 못한 낙엽은
잊을 수 없는
한 자락 추억이 애절하게
남아 있기 때문이리라.

지난여름 내내
푸른 바람으로 불던 낙엽이었다.
햇볕이 몸살을 앓기 시작하면
낙엽이 대신 몸을 움츠리었다.
아직도 이리저리 뒹구는 낙엽은
포기할 수 없는
한 자락의 미련이 애처롭게
남아 있기 때문이었을 것이다.

어두워야만 보이는 것이 있다

설달그믐 밤에 어머니가 떠다 주신
칠흑 같은 샘물에는
별빛이 가득 담겨 있었다.

별빛 가득 담긴 물을 마시며
바라본 엄마의 까만 눈동자에도
별이 반짝이고 있었다.

설달그믐 까만 밤에 알았다.
어두워야만 보이는 반짝임이 있다는 것을
어두워야만 반짝이는 사랑이 있다는 것을

마음이 가는 중

당신의 말이
누군가에게 감동을 주었다면
더 많은 사람에게
눈물 흘리게 할 수 있으리

당신의 시가
누군가에게 울림이 되었다면
더 많은 가슴속에
떨림을 줄 수 있으리.

당신의 삶이
누군가에게 영향을 주었다면
더 많은 사람 가슴속에
스며들 수 있으리

살아가면서

살아가면서 기댈 수 있도록
어깨 하나 내어 줄 수 있다면
살아가면서 잡을 수 있도록
손 내밀어 줄 수 있다면
당신으로 하여
세상에 꽃이 피는 것이다.

살아가면서 기댈 수 있는
언덕 하나 있다는 것은
살아가면서 두드릴 수 있는
가슴 하나 있다는 것은
당신으로 하여 아직도
세상은 살아갈 만하다는 것이다.

잡초

마당에 잔디를 심고 나니
잔디 아닌 풀은 모두 잡초가 되었다.
어린 민들레도
토끼풀 꽃봉오리도
노란 좀씀바귀꽃도 잡초가 되었다.

마당에 잔디를 심고 나니
잡초 아닌 풀은 잔디뿐이었다.
키 작은 괭이밥꽃도
봄내 풍기는 냉이꽃도
파란 달개비꽃도 모두 잡초가 되었다.

우리 집 마당은 잔디를 심고부터
잔디와 다르면
잡초가 되는 세상이 되었다.
잔디가 아니면
뽑히고 마는 세상이 되었다.

잡초 2

잡디밭에 어린 민들레를 뽑았다.
눈물이 찔끔 났다.
너무나 미안했다.
우리는 모두 사람들 숲속에서
하나의 잡초는 아닐까.
뽑혀 뜨거운 햇볕에 시들다 말라버릴,
말라 부서져 흔적도 없이
사라져 버릴 잡초는 아닐까.
잔디밭에 잡초 같은 운명.
서로 다른 모습일지라도
어울려 살아가면 좋으련마는

산

산은 골이 깊을수록 어둠은 빨리 찾아온다.
산이 깊을수록 봉우리에 별빛 먼저 내려앉는다.
산이 높을수록 새벽은 빨리 찾아오고
산이 높을수록 낮은 봉우리 감싸 안는다.
산이 높을수록 단풍 먼저 물들고
산이 깊을수록 눈이 먼저 덮인다.
높은 산은 언제나 큰 그늘로
낮은 산 그림자를 끌어안는다.
산은 언제나 말없이 기다릴 뿐,
소란한 것은 언제나 나무를 흔드는 바람이었다.
산은 서로의 어깨에 손 얹어줄 뿐,
떠나는 것은 언제나 잠시 머물다가는 구름이었다.

안개

잠시 자신을 감추고 싶을 때
안개 속에 숨어 보라.
안개는 보여줄 만큼만 보여준다.
얼마쯤은 남겨 두어야 한다는 것을
안개는 알고 있었으리라.
때론 산봉우리만 보여주고
때론 나뭇가지만 보여주는 것을 보면
안개 속에서 바라보면
안개 밖도 안개 속이다.
안개 속에서 비로소
서서히 스며드는 법을 배운다.
스며들다가도 때가 되면
모르는 사이
문득 사라지는 법을 배운다.

배롱나무

붉은 꽃 배롱나무 한 그루 공원에 서 있다.
몇 번의 낙엽이 지고
또 몇 번의 꽃이 피고 졌다.
눈보라도 지나갔다.

붉은 꽃 배롱나무는 두 팔 크게 벌려 보지만
하얀 꽃 배롱나무에 닿을 수 없다.
붉은 꽃 배롱나무는 귀 쫑긋하고 바람이 전하는
하얀 꽃 배롱나무의 이야기를 듣는다.

지난 태풍에 가지가 꺾였다는 아픔과
어느 집 정원으로 이사 갈지도 모른다는 소식과
벌의 방문이 줄었다는 사실과
무더위로 꽃이 시들었다는 이야기들

붉은 꽃 배롱나무는 바람에 손을 흔들어 주었다.
꽃잎 떨어져도 닿을 수 없는 그대를 위하여

그리고는 다시 어둠이 찾아왔다.
붉은 꽃 배롱나무에게 다시 고독이 찾아왔다.

인연

민들레 바람을 만나지 못했으면
민들레 홀씨 날리지 못했을 거고
민들레 홀씨 날리지 못했으면
담장 밑에 민들레꽃 피우지 못했을 거고
담장 밑에 민들레꽃 피우지 못했으면
바람을 만나지 못했을 거고
바람을 만나지 못했으면
민들레 홀씨 날리지 못했을 거고

민들레 바람을 만나지 못했으면
민들레 홀씨 날리지 못했을 거고
민들레 홀씨 날리지 못했으면
담장 밑에 민들레꽃 피우지 못했을 거고
담장 밑에 민들레꽃 피우지 못했으면
바람을 만나지 못했을 거고
바람을 만나지 못했으면
민들레 홀씨 날리지 못했을 거고

사람들은 누구나
저마다의 아련한 비밀이 있지.
저마다의 은밀한 해변이 있고
저마다의 설레는 오솔길이 있지.
기억의 한 켠에서 저 혼자 웃음 짓는
저 혼자만의 비밀이 있지.
-저마다 중에서

세상 변두리에 살더라도

갈대 흔들리는 이유

갈대가 바람에 자신을 맡기는 것은
바람과 하나라는 믿음 때문이 아닐까.
바람처럼 흔들리면서도 꺾이지 않을 것을
갈대는 온몸으로 느끼고 있었던 것은 아닐까.
갈대가 바람 앞에 자신을 낮추는 것은
끝내 넘어지지 않으리라는
넘어져도 다시 일어서리라는 것을
이미 알고 있었던 것은 아닐까.

흔들리는 갈대를 보며 갈대처럼 흔들려 본다.
우리는 언제 누군가에게
갈대처럼 자신을 맡겨본 적 있었던가.
우리는 언제 누군가에게
갈대처럼 하나로 이어진 적 있었던가.
얼마큼 더 자라야,
바람이 전하는 말 들을 수 있을까.
갈대 흔들리는 이유를 알 수 있을까.

나목

낙엽 지면 그리움일 줄 알았더니
겨울이 오면서 눈꽃 피우고 있었다.

남루를 벗으면 부끄러움일 줄 알았더니
전부를 보여줘도 부끄러울 게 없었다.

헐벗으면 추위에 떨 줄 알았더니
한겨울에도 파릇한 잎눈 키우고 있었다.

눈꽃 녹으면 외로움일 줄 알았더니
눈보라 속에서도 꽃눈 품고 기다리고 있었다.

마늘

무더위가 몰려들 때쯤
마늘밭에 푸르름은 색이 바랜다.

마늘도 캘 때가 되면
마늘잎이 끝동부터 말라간다.

시든다는 것은
때가 되었다는 것일까.

제 몸 말리며 불어 넣는
진한 마늘의 향기

마늘도
때가 된 것을 아는 것이다.

언제 떠나야 하는 하는지를
무엇을 남겨야 하는지를

저마다

사람들은 누구나
저마다의 특별한 추억이 있지.
저마다의 첫눈이 있고
저마다의 바다가 있지.
생각의 길목에서 혼자 미소 짓는
저 혼자만의 촉촉한 기억이 있지.

사람들은 누구나
저마다의 아련한 비밀이 있지.
저마다의 은밀한 해변이 있고
저마다의 설레는 오솔길이 있지.
기억의 한 켠에서 저 혼자 웃음 짓는
저 혼자만의 비밀이 있지.

함께 나누면

제가 나눌 수 있는 체온은
36.5도입니다.
당신이 나눌 수 있는 체온은 몇 도인가요.

제가 나눌 수 있는 마음은
365일입니다.
당신이 나눌 수 있는 마음은 얼마인가요.

함께 나누면
서로 끌어안으면
온 세상이 더 따뜻해지겠지요.

소리의 섬, 비내섬

비내섬에 앉으면 흐르는 물소리,
앞만 보고 달려온 내게
쉬었다 가라 하네. 천천히 가라 하네.

비내섬에 누우면 스치는 바람 소리,
울타리 둘러놓고 살아온 내게
경계를 짓지 않는 바람처럼 살라 하네.

비내섬의 철새들, 떠나고 싶을 때 떠나고,
돌아오고 싶을 때 돌아오라 하네.
비내섬의 억새는 쓰러져도 눕지 말라 하네.

비내섬 걸으면 들려오는 소리
철새처럼 떠나고, 억새처럼 일어서라 하네.
물처럼 바람처럼 여여如如히 가라 하네.

목백합

초등학교 시절 어느 식목일에
심은 목백합 한 그루
학교 운동장에 자라고 있었어.
손가락 같던 나무는
아름드리 거목이 되어 있었지.
지금 심으면 언제 자라 꽃피우겠냐던
동무의 머릿결 희끗해지고
언제 자라 열매를 맺겠냐던
친구는 이 세상을 떠난 후였지.
우리는 노안으로 세상을 바라보았어.
이제 목백합을 심어 무엇하겠냐면서도
누군가 보아줄 그 날을 위해
목백합 씨앗을 심고 있었지.

변두리에 살더라도

할머니 생전에
밤하늘 바라보며 말씀하셨지.

별에도 주인이 있다고
죽어야 자기 별을 갖게 된다고.

할머니 생전에
모깃불 뒤적이며 말씀하셨지.

작은 별도, 희미한 별도 별이라고
별은 모두가 반짝인다고,

우리도 언젠가 모두
별이 된다고 말씀하셨지.

세상 변두리에 살더라도
반짝이는 별이 될 거라고

가파도

처마 낮은 집에 살던 사람들 떠나고
순비기나무만 남아
낮게 가지를 뻗고 있었네.
한때는 태평양을 향해 당당했을
휘몰아오는 태풍에도 맞섰을
그리하여 파도도 피해 갔을 가파도
돌담으로 이어진 청보리밭을 걷다 보면
나도 어느샌가 거센 바람 앞에
순비기나무처럼 몸을 낮추고 있었네.

에돌던 바람은 가파도에 와서
커다란 파랑을 만들고
가파도 청보리는 드센 바람 앞에
눕고 일어서는 법을
구멍 숭숭한 돌담에서 배우고 있었네.
삶의 무게로 낮게 가지 뻗는 순비기나무처럼,
청보리밭 돌담길을 따라 걷다 보면

작은 등대 하나 바다를 향해 흔들리고
배 한 척, 큰 섬을 향해 떠나고 있었네.

농무

한밤 어둠도
모자라 안개로 덮었을까.
어둠 가시면
안개도 사라지더라마는

우린 언제 한 번이라도
함께 어둠이었던 적 있었던가.
함께 어우러져 어둠이었던 적 있었던가.

안개는 천천히 소멸한다.
천천히 소멸하면서
보일 듯 말 듯 세상을 보여준다.

우린 언제 소멸하면서
속내 보여준 적이 있었던가.
함께 스러져 소멸한 적 있었던가.

예덕나무

예덕나무잎에는
방패광대노린재가 산다.
방패광대노린재에게는
예덕나무잎이 고향이다.
신혼집이다.
예덕나무잎에서
나고 자라고 사랑하고
알을 낳는다.
방패광대노린재에게는
예덕나무잎이 세상이다.
예덕나무는 욕심이 없다.
방패광대노린재를 위해
가지 하나 기꺼이 내어줄 뿐

단풍은 비에 젖어도 붉게 젖는다.
제 속살까지 붉게 젖는다.
붉게 젖어 온몸 뜨겁게 내맡긴다.

속내까지

-11월 중에서

여보게, 차나 한잔하고 가시게.

기다림

기다린다는 것은
돌아올 누군가가
있다는 것이다.

떠난다는 것은
기다려 줄 누군가가
있다는 것이다.

자리

어제 그 별이
같은 자리에서 빛나는 이유를

어제 그 별이
제 자리에서 조금 비켜난 이유를

알건마는

윤회

구름은 비가 되고
비는 개울이 되고
개울은 강이 되고
강은 바다가 되고
바다는 수증기로 떠 올라
다시 구름이 되고
구름은 다시 비가 되고

먼지가 쌓여 지층이 되고
지층은 바위가 되고
바위는 돌이 되고
돌은 자갈이 되고
자갈은 모래가 되고
모래는 먼지가 되고
먼지는 다시 지층이 되고

돛

바람 소리에
귀 기울일 줄 안다.

바람이 부는 대로
흔들릴 줄 안다.

파랑에 몸 맡기고
물결 따라 일렁일 줄을 안다.

바람이 불면 바람 부는 대로
물결치면 물결치는 대로

흔들리는 운명
바람이 되어 흔들리는 돛

11월

단풍은 비에 젖어도 붉게 젖는다.
제 속살까지 붉게 젖는다.
붉게 젖어 온몸 뜨겁게 내맡긴다.

속내까지

단풍은 바람에 흔들려도 붉게 흔들린다.
붉게 흔들려 바람조차 붉게 물들인다.
붉은 바람으로 온 세상 뜨겁게 달군다.

가슴속까지

그게 아닐까

단풍이 아름다운 것은
물들면
떨어지기 때문이 아닐까.

낙엽이 아름다운 것은
떨어져
나부끼기 때문이 아닐까.

나목이 아름다운 것은
함박눈 내리면 하얗게
외로운 마음 덮어주기 때문이 아닐까.

단풍잎 떨어진 자리에 다시
잎눈이 자라고
봄을 기다리기 때문은 아닐까.

내시경을 준비하는 밤

채우기에 급급하게
살아오지는 않았는지

내시경을 준비하는 밤
비우는 일이 이리도 힘든 줄을

비워보지 않고 어찌 알겠는가.
비워야 보이는 줄을

비우면서 알았다.
비울수록 맑아진다는 것을

비우며 비우며 배운다.
비워야 보인다는 것을

무얼 그리 욕심내며 살았는지.

산행

오르락내리락
굽은 길이거나
곧은 길이거나
오르내리며 배우는 것은
너의 삶도
나의 삶도
오르내린다는 것

여보게

여보게,
차나 한잔하고
가시게.[6]

아직도
알 수가 없네.
그 깊이를

6) '끽다거(喫茶去)' 중국의 선승 조주(趙州)선사가 수행자가 찾아오면 물었다는 화두.

달팽이

그래서 언제 도착하지.
그렇게 늦으면 어떻게 하니.
그건 당신 생각이겠지요.

당신의 속도는 어떤가요.
좀 늦으면 어때요?
돌아가도 괜찮아요.

저는 제 속도로 살아요.
빠르다고 행복하나요.
제 잘못이 아니잖아요.

오솔길

한 그루 나무로
숲을 만들 수 있던가.
참나무도, 벚나무도
함께 어울려 바람에 흔들려야,
너도나도
일어나 두 팔 벌려야,
두 팔 벌려 함께 흔들려야,
비로소 숲이 되는 것을

숲속을 혼자 걷는다고
길이 생기던가.
혼자 헤쳐온 숲속은
여전히 숲이 아니던가.
너도나도 오가며
이 마을, 저 마을 이어져야,
이어져 서로 정 나눌 수 있어야,
오솔길이지 않던가.

세상 사는 일이 그렇더라

달팽이의 여행

달팽이 한 마리 여행을 떠난다.
서둘지 않는다.
지나간 자리마다 하얗게 흔적을 남길 뿐,
달팽이 여행길에 소나기 한 번
쏴 하고 내려줬으면
달팽이 하얀 갈증을 달래줄 수 있도록

언제부턴가 내 가슴 속에도
달팽이 한 마리 살고 있었다.
늦으면 늦은 대로
한 세상 사는 거지.
무얼 그리 서둘며 살았는지.
무얼 그리 앞만 보고 달려왔는지.

언제부턴가
달팽이 걸음으로 세상을 걷고 있었다.
달팽이 눈으로 세상으로 바라보고 있었다.

사람들 바쁘게 살아가는 길을
달팽이 하얀 자취로 덮고 있었다.

불면증

무서운 밤이었다.
눈감아도 온몸을 휘감는 모세혈관에
물 흐르는 소리,
고요한 가슴속에 북 치는 소리,
점점 크게 들려온다.
살아 있다는 증거일까.
잠 못 드는 밤
온몸의 솜털은 곤두서고
어둠을 두드리는 박동 소리
큰 북 두드리듯 또렷이 들리고
눈감아도 눈앞을 날아다니는
비문들 하나둘 늘어나고
바람벽 너머 어디선가 들려오는
끝없는 신음

그렇더라

저 혼자 일어나는 파도가 있으랴.
바람 없이는 파도도 없더라.
바람이 거셀수록 파도도 높더라.
세상 사는 일이 그렇더라.

저 혼자 뜨는 무지개가 있으랴.
먹구름도 소나기도 지나가야 하더라.
햇빛도 반짝 빛나야 하더라.
세상 사는 일이 다 그렇더라.

터벅거리며 걸어온 너덜길도
혼자 걸어온 것이 아니었구나.
벼룻길에 불어주던 바람도 함께였음을
오솔길에 이름 모를 야생화도 함께였음을

나이

마음도 함께
나이 들어야 하는데
허리 먼저 굽더라.

생각도 함께
철들어야 하는데
주름만 먼저 깊어지더라.

그랬을 거야

봄도 다 계획이 있었을 거야.
꼬물거리며 틔우는 새싹에도
환호하듯 피어나는 봄꽃에도

여름도 다 계획이 있었을 거야.
송글송글 맺히는 더위에도
뽀얀 먼지 날리는 가뭄에도

갈, 겨울도 다 계획이 있었을 거야.
온 산하 물들이는 단풍에도
온 강산 뒤덮는 함박눈에도

계획 없이 그러지는 않았을 거야.
아가의 첫 울음소리에도
다 원대한 계획이 있었을 거야.

세월

어느 날
중고 거래 사이트에
매물로 나오게 될지도 모르지.

세월의 흐름 뒤에
생활 스크래치 생긴 채
중고로 팔리게 운명일지도 모르지.

우리의 삶도 유효기간이
지나면 폐기되겠지만
폐기되어 잊히겠지만

그러면서도 중고 거래 사이트에서
쓰지도 않을
오래된 떡살을 하나를 샀다

증오

가슴에 고슴도치처럼
가시가 자라고

미움이라는 숫돌에
칼날 벼리는 마음

한 순간

지난밤, 소란스러운 바람으로
가을을 한꺼번에 데려가시더니

새하얀 눈으로
한꺼번에 겨울을 보내 주셨네요.

세상 참
한순간이네요.

한꺼번에 데려가고
한꺼번에 데려오고

선

누군가에게 접속한 수많은 선
이어지지 못해 버려진 것도
이어져 기다리는 것도
눈물겹다.
누군가에게 이어진다는 것은
그 누군가의 삶과 만나는 것이다.

숙취

가파로 67번길 58
푸른빛의 전망대 식당에서 끓인
바다향 가득한 해물라면이 먹고 싶다.

목젖을 달구던 신물을 삼키며
이젠 줄여야지 하다가
지평막걸리로 해장술 한잔했으면

그대들의 잘못이 아닙니다

용두리[7]

제비도 저 태어난 마을을 잊지 않나 보다.
해마다 용두리에 다시 찾아오는 걸 보면
제비는 이웃 제비들 데리고 찾아오나 보다.
해마다 제비의 수가 늘어나는 걸 보면

제비도 사람의 마음을 아나 보다.
사람과 제비 무엇으로 이어지는지를,
제비도 주민의 말을 들을 수 있나 보다.
주민들 어깨 위로 낮게 나는 것을 보면

제비도 아나 보다 제비 사랑하는 사람들이
옹기종기 모여 이룬 마을을,
푸른 하늘에 하얀 구름 머무는 용두리 처마마다
제비집 짓고, 새끼 기를 수 있는 곳이란 것을

---

7) 경기도 양평군 청운면에 있는 마을

아! 이태원이여[8]

이태원 좁은 골목길에 하얀 국화 송이 쌓여 갑니다.
까만 상장을 가슴에 달았습니다.
애도의 물결입니다.
미안하고 미안합니다.
그대들의 잘못이 아닙니다.
그대들을 지키지 못한 우리의 잘못입니다.
어느 가수는 공연을 취소했습니다.
내가 잘못한 것 같아 잠을 이룰 수 없습니다.

숨을 쉴 수가 없습니다.
숨이 쉬어지지 않습니다.
아무리 외쳐도 아무도 달려오지 않았습니다.
그대들의 잘못이 아닙니다.
그대들을 지켜주지 못한 어른들 잘못입니다.
자신이 잘못한 것 같은 사람들은

---

8) 이태원 참사 후 추모 문구, 기사 내용에서 뽑음.

이태원 골목길을 서성입니다.

이태원에는 국가는 없었습니다.
문제없다는 사람만 있었습니다.
하나의 현상이라는 사람만 있었습니다.
할 만큼 다 했다는 사람만 있었습니다.
목소리가 너무 생생해서 출동하지 않았답니다.
주최자가 없는 축제라
책임질 필요가 없는 국가라고 합니다.

아! 이태원이여!

메타버스

나는 오늘 메타버스 플렛폼에 가입했다.
내복을 입은 나의 아바타가 태어났다.
나는 구찌 모자와 루이비똥 자킷과 입생로랑 바지를 입혔다. 나이키 신발을 신었다.
현실에서는 한 번도 가져보지 못한 치장을 했다.
나는 오늘 세상에 하나뿐인 나의 아바타로 다시 태어났다.

터키사람이 한강 다리를 샀다.
청와대도 누군가에게 팔렸다. 아바타 친구도 생겼다. 외국인 아바타도 만났다.
어린 아바타가 친구 맺기를 신청했다.
그는 자기가 디자인한 장신구를 팔았다.
그는 메타버스에서 돈을 번다고 한다.

이게 말이 돼.

관리 시점

자동차 길에만
속도 관리 시점이 있는 것이 아니더라.
우리의 삶에도
속도를 관리해야 하는 시점이 있더라.

골종양

‘요즘 의술이 좋아서 괜찮을 거야.’
친구들은 나를 위로해 주지만

그 말 대신에 들려 오는 것은
마음 한구석 자갈밭에 모래바람 부는 소리뿐

소나기 한 자락 뼛속을 스쳐 간다.
몇 년 전 떠난 친구에게 내가 했던 말이다.

‘요즘 의술이 좋아서 괜찮을 거야.’

코로나19 확진

얼마나 두려웠는지 몰라.
진단 키트의 붉은 색 두 줄
자칫하며 붉은 두 줄로 호적도
지워질지도 모른다는 무서움
끝없이 추락하던 나락
마디마다 탈골되는 뼈마디
온몸이 바늘에 찔리는 듯했지.
옆에는 아무도 없었지.
아무도 올 수 없었지.
그에게 다가갈 수도 없었지.
깊이를 알 수 없는 늪에 빠졌다가
땀 흥건한 채 돌아오곤 했지.
돌아와 물 한 모금 마시며 생각했지.
아무 일 없었던 것처럼
홀로 먼 길을 떠날 수도 있겠구나

따오기 돌아오다

보일듯이 보일듯이 보이지 않는
따옥따옥 따옥 소리 처량한 소리[9]

따오기가 돌아왔다는 것은
한 마리의 새가 돌아왔다기보다
따오기에 얽힌 동요가 함께 돌아왔다는 것이다.

잡힐듯이 잡힐듯이 잡히지 않는
따옥따옥 따옥 소리 처량한 소리[10]

따오기가 돌아왔다는 것은
한 종류의 새가 돌아왔다기보다
따오기에 얽힌 전설이 함께 돌아왔다는 것이다.

---

9) 동요 따오기(한정동 시, 윤극영 곡)의 가사에서 인용
10) 동요 따오기(한정동 시, 윤극영 곡)의 가사에서 인용

따오기가 돌아왔다는 것은
우리의 추억도
우리의 환경도 함께 돌아왔다는 것이다.

양평어무이해장국

이른 새벽, 목젖을 달구던 신물
역류성 식도염이 도지면
찾아가는 양평어무이해장국 집

맞아! 바로 이 맛이야!
아아! 바로 이 맛이구나!
그래! 그렇지. 이 맛이었지!

몇 년이 지나도 변함없는 시원함
식도를 타고 내려가는 국물의 환호성에
숙취가 슬며시 비켜선다.

진짜 궁금하지. 양평어무이해장국 맛.
취한 날 아침이면 몸이 먼저 생각하는
양평어무이맛해장국

박제

기억 속에 박제가 된 순간
화석처럼 남아 되살아 나는 순간
기억 속에 각인되어 지워지지 않는
추억이 없는 사람 어디 있으랴.

누구에게나 잊히지 않는 순간이 있다.
잊을 수 없는 순간이 있다.
기억 속에 박제가 된 순간
화석으로 남아 있는 첫 경험

할단새

히말라야의 밤이 오면 바위산의 비명
가슴을 에는 칼바람에 능선을 넘는다.
설원의 눈보라를 뚫고 들려오는 새의 울음소리
-내일은 집을 지으리라!
-내일은 집을 지으리라!
혹한의 히말라야에 집을 짓지 않는 새, 할단새
뼛속까지 생채기를 내는 혹한의 밤
집을 짓지 않은 것을 후회하며 우는 새,
해 뜨면 집을 짓겠다고 집을 짓겠다고 다짐하는 새,
해가 뜨면 간밤의 추위를 까마득하게 잊어버리는 새,
할단새, 히말라야의 설경에 마음을 빼앗기고
아름다움에 취해 하루를 보내는 할단새,
또다시 혹한의 밤이 찾아오면
집을 짓지 않은 것을 후회하며 밤새워 울음 우는 새,

할단새
-내일은 집을 지으리라!
-내일은 집을 지으리라!

문득 돌아보면 히말라야의
할단새처럼 후회하며 살지 않았는지
할단새 밤새워 울던 모습은
다름 아닌 우리의 모습이 아니었는지.

우리 집 마당은 잔디를 심고부터

잔디와 다르면

잡초가 되는 세상이 되었다.

잔디가 아니면

뽑히고 마는 세상이 되었다.

-잡초 중에서

시에 다가가는 중

송풍 최 상 만

고등학교 3학년 때였던 것으로 생각한다. 조병화 선생님의 시를 즐겨 읽었었다. 지금 생각해보면 아마도 조병화선생님의 문학적 감성을 좋아했던 것이 아닌가 생각한다.

조병화선생님이 계시는 중앙대학교 문예창작과에 가고 싶었다. 그래서 시 쓰기 흉내를 내기 시작했었다. 당시 여건으로 서울에 있는 대학을 진학하기에는 매우 어려운 가정 사정이었다. 그래도 특기생 지원을 했었다. 갈 수 없다는 것을 알면서도, 합격의 기쁨을 접고 지방대 사범대를 선택하여 입학해야 했다.

1980년대 초 대학 시절, 몇몇 선배들과 막걸리 잔을 나누고, 시집을 옆구리에 끼고 다니며 문학 소년을 자처했었다. 문학 동아리 '도람'[11]을 만들어

---

11) 함께 동아리 활동을 했던 작가로는 김선우 시인, 김창균 시인, 서경구 시인, 정태섭 시인, 백미주 소설가 등이 있다.

합평을 하며 시를 나누고, 이상 시인의 기일(4월 17일)에 이상을 추모하며 술을 마셨다. 이상을 좋아한 박인환의 기일(3월 20일)에 '목마와 숙녀'를 읊고, '세월이 가면'을 들으며 추모하였다.

교과서에 실릴 만한 시 한 편을 남기겠다며 신춘문예 앓이를 하곤 했었다. 춘천의 문인들이 다니던 카페도 들락거렸다. 그때는 그게 문학인 줄 알았다.

몇 번의 신춘문예 도전과 씁쓸한 탈락으로 청춘은 눅눅한 삶의 몇 페이지로 흩어졌다. 문학까지도 조각났다고 생각했었다. 그리고는 국어 교사가 되었다.

국어를 가르치면서 문학을 하겠다는 생각은 묻어두었다. 시적 감성은 나와 멀다고 생각했다. 그럴수록 문학은 나의 삶 속으로 파고들었다. 헌책방에서 문학잡지를 사고, 낡은 시집을 탐하는 버릇이 생겼다. 밤늦도록 서향에 묻혀 차를 마시는 일이 삶의 즐거움이 되었다.

중학교 국어 교과서를 집필하면서 교과서에 실릴 시를 고르며 생각했다. 교과서에 실리는 작품은 학생의 감성에 울림을 주어야 한다. 시를 가르치는 도

구로써 필요한 작품이어야 한다. 하지만 우리나라 수많은 시인의 작품이 수없이 많지만, 교과서에 실릴만한 작품은 찾기는 그리 쉽지 않았다. 초등학교 국어 교과서부터 대학 교재에 실린 시들을 읽으면서 왜 그 시가 교과서에 실릴 수밖에 없는지 이해도 되었다.

그러면서 시를 다시 써야겠다고 마음먹었다. 그리고 시에 대한 고민을 시작했다. 『시는 시여야 한다. 시가 읽히지 않는 시대에 시를 쓰는 시인들, 독자가 없는 시대에 자기 혼자가 독자가 되는 시를 쓰고 있는 것은 아닌지 고민해야 했다. 자기만족을 위해 시를 쓰고, 시집을 출판하는 것은 시의 대중화를 위해 좋을 수도 있지만, 문학적 수준을 약화하는 일이 될 수도 있다.

내가 생각하는 시는 울림을 줄 수 있어야 한다는 것이다. 가슴에 잔잔한 파동을 일으켜야 한다는 것이다. 감동을 주는 시는 어렵지 않으면서도 쉽게 읽힌다. 그러면서 가슴에 일렁임을 주는 무엇인가 들어 있어야 한다.』 그런 시를 쓰고 싶은 것이었다. 아직도 시가 뭔지 모르겠다. 시를 모르는 사람이 시를 쓰는 이 엄청난 모순, 하지만 평생 한 편이면 어떤가. 누군가의 입에 읊조려지고, 누구나 기억하는 한 구절의 시구가 담긴, 그런 시 한 편을 쓰고 싶은 것이었다.

어느새 네 번째 시집을 출간하게 되었다. 시집을 출판할 때마다 마음은 무겁다. 내가 가고 있는 길이 옳은 길인지, 내가 쓰고, 내가 독자가 되는 일을 하며 시를 쓴다고 어쭙잖게 문학의 허울을 쓰고 있는 것은 아닌지.

어느 시인이 자기가 쓴 시집이 어느 지인의 집 냄비 받침대로 쓰이는 것을 보면서 마음이 아팠다는 이야기를 들었다. 나의 시집이 제대로 대접받으려면 어찌해야 할까.

'발에 걸리는 게 시인'라고 하던 친구의 말에 가슴이 아프다. 뼈를 깎는 아픔 없이 시를 쓰면 안 될 것이라는 친구의 가르침이 아닐까. 언어의 바다에서 시어 하나 건져 올리려는 노력 없이 시를 말해서는 안 될 것이다. 우리는 시를 너무 우습게 보는 경향이 있다. 시는 누구나 쓸 수 있지만 아무나 좋은 시를 쓰지는 못한다.

시는 『언어라는 격랑의 바다를 건너야 마침내 도달하는 조그마한 항구 같은 것이다. 그 항구의 모습은 시인마다 다른 것이다. 어떤 시인의 항구에는 봄이 오고, 어떤 시인의 항구는 겨울이 오는 것과 같을 것이다. 어떤 시인의 항구는 처절한 삶의 애환이 있을 것이고, 어떤 시인의 항구는 세상 사람들이 가보고 싶은 아름다운 항구일 수도 있을 것이다.』

시가 머물지 못한 시인의 가슴으로 쓴 시는 독자의 가슴에서도 시는 떠나고 말 것이다. 『시는 독자의 가슴속에서 비로소 완성되는 것이다. 또한 시인이라는 고명한 이름을 부여받았으면 자기가 쓴 시에 대하여 책임을 져야 한다. 적어도 시를 읽어 주는 독자의 마음에 작은 떨림을 주는 시를 쓰려고 노력해야 할 것이다.

시가 읽히지 않는 것은 누구의 탓도 아닌 바로 시인 자신의 탓이 아닐까. 벌이 꽃을 찾듯 독자를 시를 찾아오도록 향기를 풍기는 꽃 같은 시를 써야 할 것이다. 어렵고도 힘든 길이 아닐 수 없다.』

꽃피는 오솔길을 지나왔다. 언제나 나는 길 위에서 있다. 이제 나만의 항구를 찾아 떠나야 할 때가 되었다. 가슴 절절하고, 피를 토하며 뼈를 깎는 아픔을 간직한 정서, 그것들을 퍼 올리며 도착할 곳, 삶의 비릿함과 시의 눅눅함이 가득한 항구에서 만나기를 바란다.

최상만의 시 '잡초' 읽기

시인 이오장*

마당에 잔디를 심고 나니
잔디 아닌 풀은 모두 잡초가 되었다.
어린 민들레도
토끼풀 꽃봉오리도
노란 좀씀바귀꽃도 잡초가 되었다.

마당에 잔디를 심고 나니
잡초 아닌 풀은 잔디뿐이었다.
키 작은 괭이밥꽃도
봄내 풍기는 냉이꽃도
파란 달개비꽃도 모두 잡초가 되었다.

---

*전북 김제 출생. 믿음의 문학 신인상 등단. 한국문인협회 중앙위원. 한국현대시인협회 중앙위원.
시집:<바람꽃을 위하여>, <꽃과 나이테>, <꽃과 바람의 변주>, <왕릉>, <화석의 울음>, <꽃의 단상>, <날개>, <아버지 아버지>, 동시집 : <서쪽에 해뜬 날>. <하얀 꽃바람> 등이 있다.

우리 집 마당은 잔디를 심고부터
잔디와 다르면
잡초가 되는 세상이 되었다.
잔디가 아니면
뽑히고 마는 세상이 되었다. <잡초 전문>

인간과 세계에 대한 근본 원리와 삶의 본질을 연구하는 일을 철학이라 한다. 매우 광범위하고 다양하게 사용되고 있어 철학이 무엇인가 하는 점을 한 가지 개념으로 분명하게 파악하기는 어렵다. 그래서 가장 힘든 학문을 철학이라고 한다. 하지만 누군가는 삶의 개념을 확실하게 정하고 우주의 상황과 사람의 관계를 규정해야 후대가 편하지 않을까. 철학은 정답이 없다. 이렇게 말해도 그렇지, 저렇게 말하면 그래 그렇지 하는 대답으로 두루뭉술하게 대답하게 된다. 그런 이유로, 삶은 정답이 없고 그냥 주어진 만큼 살다가 자연으로 돌아가면 그만이다는 말이 정답이다. 그러나 그것도 틀린 말이다. 사람의 삶은 스스로가 정하고 스스로가 끝내는 게 아니지 않은가. 그렇다면 어떻게 살아야 하고 어떤 생각으로 삶을 펼쳐야 하는가. 최상만 시인이 정답을 찾았다. 원래부터 잡초는 없다. 사람이 가꿔 식량으로 삼거나 화초로 취급하며 관리하면 작물이고 그 외의 풀은 잡풀로 제거해야 하는 방해물이다. 자연에서 태어난 사람이 자연을 이용하는 방법을 찾은 뒤부터 사람의 생각도 바뀌어 득과 실을 나뉘었고 잡풀을 제거하기 시작한 것이다. 사람 사회도 마찬가지다. 남을 위하고 단체를 위해 헌신하는 사람과 남을 해치며 단체에 훼방을 놓는 사람으로 나누어 잡초를 뽑아내듯 그렇게 할 수는 없다. 그러나 잡초를 뽑듯 그렇게 뽑아내야 할 사람은 많다. 시인은 마당에 잔디를 심고 보호를 위한 잡초를 제거하며 문득 사람 사회의 잡초를 떠올렸다. 경험론적 실존철학의 개념을 논한 것이다. 억지로 가르치지 않아도 읽으면 그런 생각을 가지게 하는 삶의 철학을 펼친 시인의 혜안이 돋보인다.

출처 : 내외통신 http://www.nwtnews.co.kr